Sobre *Mundo cruel*

"Es ese mundo el que se presenta aquí con toda su ridiculez entrañable, con todo su patetismo disimulado, con toda su crudeza y con toda su gracia. Nunca antes había entrado tan abierta y regocijadamente el mundo gay en la literatura puertorriqueña."

—Carmen Dolores Hernández
EL NUEVO DÍA

"La falta de solidaridad humana, el interés sexual, el chisme, el egoísmo y la hipocresía nos devuelven un mundo inmundo—es decir, demasiado hundido en el mundo—, deshumanizado, tanto del lado de la heterosexualidad, como de la homosexualidad."

—Lilliana Ramos Collado
UNIVERSIDAD DE PUERTO RICO
RECINTO DE RÍO PIEDRAS

"Es muy refrescante en el contexto de la literatura puertorriqueña encontrarse con un libro que trate de entretener, de ser superficial, de hacernos reír por el mero hecho de hacernos reír. Pero recordemos que en este libro esa sencillez y esa superficialidad son aparentes."

—Efraín Barradas
CLARIDAD

"El mundo al que nos invitan estos cuentos ya es algo más que el espacio particularista del marginado, de la minoría victimizada."

—Juan Duchesne Winter
HOTEL ABISMO

Mundo cruel denuncia y propone. El autor asume un compromiso: apunta problemas, hurga, incomoda, transcribe el entorno sin miramientos."

—Carlos Vázquez Cruz
RUTGERS UNIVERSITY

"No importa el género, la sexualidad, religión o el pensamiento, el que no lea este libro pierde y seguirá viendo la homosexualidad como una amenaza, en fin seguirá en la ignorancia."

—Nelson Vera
RADIO UNIVERSIDAD DE PUERTO RICO

"*Luis Negrón* entra a nuestra casa, a nuestra habitación, por nuestros ojos y nos obliga a hacernos una radiografía de nuestra humanidad."

—Yolanda Arroyo Pizarro
BOREALES

"*Luis Negrón* afirma con belleza que todos somos un bagazo. Con crudeza, Mundo cruel hace lo que todo artista hace con sus jardines: enamorarse, exaltar."

—Rey Andújar
LA ACERA

Mundo cruel

Mundo cruel

Luis Negrón

Libros AC

San Juan, Puerto Rico

Esto es un *Libro AC*.

1510 Ave. Ponce de León
San Juan, Puerto Rico 00909

Copyright © 2010 Luis Negrón

Copyright © 2011, 2013, 2014 Agentes Catalíticos, Inc.

Mundo cruel, originalmente publicado por *La Secta de los Perros*,
Río Piedras, Puerto Rico.

www.LibrosAC.com

Diseño de cubierta e interior: *Samuel Medina*

Arte de cubierta: "Cloro" y "Mapo" por *Rosaura Rodríguez*

Tipografía de cubierta: *Ariadna González*

Edición y corrección:
Ricardo Vargas & Carlos Vázques Cruz

Tercera edición, primera reimpresión, mayo 2014.

Negrón, Luis
    Mundo cruel / Luis Negrón
    Narrativa, Cuentos, Literatura puertorriqueña
    ISBN-13: 978-1-937149-07-9

Impreso en Colombia.
Panamericana Formas e Impresos S.A.
quien sólo actúa como impresor.

Para *Adriana*, con todos los besos de mariposa.

Para *Rita Duprey*, por darme las palabras.

Contenido

Una picaresca Santurcina

por ANA LYDIA VEGA

Conviene, antes que nada, establecer el contexto histórico en que aparece la colección de cuentos titulada *Mundo cruel*.

La primera década del siglo veintiuno ha colocado en la mira de la atención internacional las luchas por los derechos del hombre y la mujer homosexuales. Esas luchas, que comenzaron formalmente, de este lado del globo, con la fundación de la *Society for Human Rights* en el Chicago de 1924, se reorganizaron e intensificaron en la pasada década de los sesenta, cuando coincidieron con las reivindicaciones feministas, pacifistas, antirracistas y anticoloniales. Desde entonces, han logrado victorias contundentes, incluyendo la derogación de aquellas leyes cavernícolas que criminalizaban las relaciones entre personas del mismo sexo y la consecuente legalización, en numerosos países, del matrimonio y la adopción *gays*.

La evolución de las mentalidades hacia un modelo de convivencia más igualitario es un proceso en marcha. Pero las consciencias no caminan en formación militar. La conquista de unos derechos tan largamente denegados ha fortalecido las esperanzas. En contraste, el prejuicio, el escarnio y la agresión se han recrudecido como contragolpe al progreso alcanzado. Aliada con gobiernos oportunistas a la caza de votos conservadores, la homofobia religiosa sigue empeñada en detener el curso de la historia.

Todo tiempo convulso promueve grandes cambios y grandes confusiones. Ambos tocan, quiérase o no, al conjunto de la sociedad. Tanto en la comunidad *gay* como en la *straight*, los vientos transformadores generan reacciones conflictivas. Estamos, por lo visto, experimentando los vaivenes y las conmociones de una genuina era de transición.

Un momento tan dinámico como éste suele ser un verdadero río revuelto para pescadores literarios. Ofrece un superávit de enredos, choques y contradicciones, materiales indispensables de la buena literatura. Los cuentos de *Mundo cruel* recogen con lucidez, con humor, con realismo y con simpatía las complejidades interiores del tránsito entre el *underground* de la closetización y la integración a los plenos derechos ciudadanos.

El título es tramposo. De primera intención, parecería una denuncia severa de la naturaleza despiadada de la existencia. Estipulado: ya se sabe que el mundo no es un lugar muy tierno que digamos. Y, en efecto, crueldades de todo tipo no faltan en estas páginas. Pero un gato encerrado maúlla detrás del título.

La frase "mundo cruel" —que es un lugar común, una expresión trillada a lo "perra vida" o "mala muerte"— contiene su dosis infiltrada de humor negro. Es, después de todo, la despedida melodramática de quienes procuran suicidarse con elegancia. La falsa solemnidad de esas traviesas "últimas palabras" permite sospechar que estas historias no transitarán por la calle de la amargura. Título y obra conjugan así la brutalidad consabida del género humano con la risa cómplice de la parodia.

El escenario concreto de los personajes es, sobre todo, el de Santurce, centro urbano venido a menos donde los residentes residuales de la fuga a los suburbios, la población flotante de inquilinos y clientes y las oleadas sucesivas de los recién llegados sufren, gozan, bregan y sueñan. El cuento "El vampiro de Moca" monta el telón de fondo con la siguiente descripción del revoltillo santurcino:

"Santurce, Puerto Rico, antes conocido como Cangrejos, pero ya nunca más. Cuadras y cuadras llenas de oficinas de médicos, templos católicos, evangélicos, mormónicos, rosacruces, espiritistas, judíos y yoguísticos, si es así como se dice. Peste a

alcantarillas las 24 horas del día. Calor insoportable. Reguetón, salsa de la vieja, boleros, bachatas,
velloneras, billares, máquinas tragamonedas. Barras de mujeres desnudas, barras de dominicanos,
barras gays. Colegios católicos, de barbería, tecnológicos y de hacerse un profesional en tan solo un
año y sin muchas asignaciones. Tiendas de tela, de
artículos de arte, de farmacias sin receta, de barberías y beauties."

El mundillo *gay*, microcosmos enclavado en
el intramuros capitalino, es el protagonista indiscutible del libro. Ese mundillo interactúa con
otros, entre los cuales se destacan el de los fre-
cuentadores de barras y licorerías, el de los in-
migrantes dominicanos y el de los delincuentes y
buscones que han hecho del *downtown* decaden-
te su núcleo vital y laboral. Entre estos grupos,
hay trueque de servicios, maniobras mercantiles
y explotación de necesidades.

La crueldad que delata el título no responde
únicamente a la intolerancia y el rechazo social.
Se trata de un *modus operandi* adoptado y ejerci-
do en defensa propia. Como en la novela picaresca, las vidas e intrigas de los antihéroes descla-
sados constituyen la materia prima narrativa. Su
jerga, sus gestos, sus opiniones y sus peripecias
imparten a los cuentos el ritmo y el colorido de
un espectáculo teatral.

En literatura, nada resulta más difícil que la construcción de la autenticidad. Para lograrla, los narradores de *Mundo cruel* optan, al igual que en la picaresca, por la voz testimonial. Monólogos, diálogos, cartas y conversaciones telefónicas dan cuenta de las movidas que suscita la batalla por la sobrevivencia física y afectiva. El manejo eficiente de la palabra hablada confiere a los relatos un aire confesional. En ocasiones, la caricatura alborota la escena imprimiéndole a la caracterización un acento fársico y una aguda gracia *camp*.

El pícaro opera a base de trucos y simulaciones. Y, en estos cuentos de picardías, nadie es lo que parece ser. Los religiosos homofóbicos son hipócritas closeteros. Los criminales más desalmados rompen a llorar como magdalenas. El macho más machote se vira en la cama. El mejor amigo tira cañonas sin contemplaciones y hasta le roba a uno la presa erótica. En resumen: todo el mundo engaña y es engañado.

Nadie escapa tampoco al juego de las ilusiones. Son el salvavidas de los rehenes de la mala suerte y la soledad. Una perrita mimada, las baladas cortavenas de Yolandita, el mito de la virilidad absoluta, la pose de diva sufrida, la tierra prometida de la emigración, todo eso sazona la vida y aliviana el tedio. Las fantasías que sirven para espantar la depre cotizan bien en el mercado. Pero conducen —como en las ficciones picarescas— al desenlace irónico y al consecuente desengaño.

Secreta, inconsciente o manifiestamente, los personajes respiran la época de transición en que se inserta la obra. La fluidez desconcertante del momento altera las perspectivas, descompone los esquemas y afecta las relaciones. Enfrentados al cambio, jóvenes y mayores exhiben posturas generacionales discordantes. En el cuento "La Edwin", el interlocutor chismográfico aconseja a un amigo de menor edad y le explica, en onda filosófica, las supuestas verdades inmutables de la psicología homosexual:

"Nena, agúzate, que este ambiente es así. Todas las locas son iguales y ustedes las jovencitas
lo quieren cambiar todo de la noche a la mañana.
Que si la bisexualidad, que si gay es una identidad
política, buchas y locas juntas todo el tiempo, pero
—entérate niña— que el mundo es mundo desde
hace mucho tiempo. Y este mundo de nosotros es
así."

El más allá heterosexual cuyos ecos se cuelan por las rendijas del libro no está inmune a las sacudidas del cambio. Revuelto en la mezcladora urbana, su elenco tampoco integra una masa uniforme. Muestra, como el grupo *gay*, una diversidad de actitudes y comportamientos. Un padre se inquieta por el futuro nebuloso que aguarda a su hijito hostigado. Dos madres se alarman ante la creciente visibilidad urbana de los homosexuales. Una hermana solidaria convive con su hermano enfermo de SIDA y con el amante de éste. Un bugarrón quiere lavar con Clorox las huellas de un crimen, y tal vez las de su propio deseo...

Muy significativamente, tanto la apertura como la clausura del libro recurren a la subversión irónica de mitos bíblicos para hablarnos de unos tiempos a la vez terminales e inaugurales. El primer cuento ("El elegido") se centra alrededor de un bautismo mesiánico que, desencadenando una redención carnal, pone fin a la represión familiar. El último (que titula la obra) evoca un apocalipsis al revés: el final del viejo orden homofóbico, la mutación de las mentalidades y el atisbo de un des-orden libertario. *Good-by*, Sodoma. Hola, mundo nuevo. Adiós, mundo cruel.

Hasta aquí estos breves comentarios que no pretenden ser sino una cordial invitación a la lectura. El debut narrativo de Luis Negrón ha contado con una acogida entusiasta por parte del público y la crítica puertorriqueños. Esperemos que su segunda entrega no tarde en producirse y que sea tan divertida y tan provocadora como la primera.

11 de diciembre de 2010

"La patería es siempre una subversión."
EDUARDO ALEGRÍA

. . . .

—*¿Entonces, un melodrama es un drama*
hecho por quien no supo, señorita?

—*No exactamente, pero en cierto modo,*
sí es un producto de segunda categoría.

MANUEL PUIG
'UN DESTINO MELODRAMÁTICO'

Mundo cruel

El elegido

Desde pequeño había escuchado a mi madre contar más de una vez que cuando me presentaron en la iglesia, con apenas cuarenta días de nacido, el pastor había profetizado que yo no sería como los demás niños, que cada paso mío sería un peldaño hacia Jehová. Crecí con la certeza de ser ungido.

Mis hermanos y mi padre se resistieron a esa idea. Papi le aseguraba a mi madre que me estaba criando mal, que tanta iglesia y tanto culto me iban a malograr. Mis hermanos no iban a la iglesia, amparados por Papi. Se aseguraban de que tuviera tema para hablar en las clases bíblicas cuando discutíamos a Job y sus pruebas. Me escondían la Biblia y las corbatas. Me rociaban con la manguera minutos antes de que llegara la guagua a recogernos a Mami y a mí para ir al culto. Si lloraba, Papi me echaba a pelear con ellos y me gritaba:

—Defiéndete como un hombre, coño.

En la iglesia me sentía a gusto. Me llevaban de pueblo en pueblo como niño predicador. Los mayores me pedían consejos; las mujeres me pedían visiones. Una noche, durante una vigilia, salí al baño. La única luz afuera era la que daba al escusado. Cuando entré, sentí un ruido y al acercarme al cubículo del urinal vi al hijo de la hermana Paca haciéndole fresquerías por detrás al hijo del hermano Pabón.

En ese momento tuve mi primera verdadera revelación. El cuerpo entero me lo decía: yo quería estar en el lugar que se encontraba el hijo del hermano Pabón. Cuando me sintieron se asustaron, pero los pude calmar cuando comencé a bajarme el pantalón. No los pude tocar, en ese mismo instante entró el hermano Samuel y nos cogió.

La noticia le llegó a Papi a través de mis hermanos, entusiasmados por la pela que venía. Con ojos de fariseo, mientras Mami subía el volumen del estéreo por el que escuchaba una emisora evangélica, Papi agarró mi cara con una sola mano y la apretó como una bola de papel dentro de su puño. Se quitó la correa y azotó mi espalda. Cuando vio que no lloraba, que no decía ni ji, cruzó con la hebilla mi frente hasta que el corito que cantaban en la radio paró. Me dejó ambos ojos hinchados y la nariz rota. Al bajar la inflamación, el rostro se me había transformado. Se parecía al de las estampitas de santos que tenía mi abuela, la católica, en su casa. Para los demás muchachos eso era irresistible. Todos querían ser mi novio.

El hijo del pastor me regaló una Biblia ilustrada el día de los enamorados. Me gustaba ver las imágenes: Adán cubierto con una hoja grande de hiedra, notaba avergonzado por vez primera sus partes, y yo con él; la mujer de Lot convertida en sal, mirando hacia la ciudad ardiendo porque había que mirar; el torso de David, fuerte y maravilloso; las piernas de Goliat, que con aquello de que era un gigante, mi imaginación volaba.

Mi padre decidió meterse también al Evangelio para ver si a fuerza de oración me cambiaba. Se había cansado de darme palizas cada vez que me cogía manoseándome con algún primo o me sorprendía modelando frente al espejo del family. Me sacaba del baño del supermercado en donde me liaba con los empacadores de carne. Cogí cachetadas, aguanté golpes de mano abierta, de puño cerrado. Pelas con correas de cuero, con hebillas, con chancletas de goma, con varitas de tamarindo y de gandules enviadas por mi abuela desde Arroyo o arrancadas del palo de limón que teníamos en el patio. Yo odiaba el palo de limón. En cierta ocasión me inventé con mis hermanos que habíamos visto a la Virgen aparecerse encima de la copa del limonero. Mami se alteró con la noticia y temiendo que la casa se llenara de católicos lo cortó y no hubo más varitas.

Cuando cumplí quince años me tocó bautizarme. No dejé que Mami me comprara la ropa en Barrio Obrero. Hice que me diera el dinero y me fui a uno de los centros comerciales del área. La ropa tenía que ser blanca. Conseguí unos pantalones de hilo y los combiné con una guayabera y unas chancletas de piel para mujeres, pero que en realidad parecían de hombre. Nadie notaría la diferencia.

Tomé la guagua y me puse contento cuando vi al chofer. "Gracias, Padre", le dije al Altísimo. Ya nos conocíamos. A cada rato me llamaba y me esperaba en la parada 20 para llevarme a un motel de la carretera número uno. Me senté desde donde él pudiera verme a través del espejo retrovisor y desde donde yo pudiera verlo bien. Me dijo, cuando me iba a bajar, que hiciera el viaje completo con él, que ese era el último. De ahí me llevó a un motel de Caguas.

Como salimos temprano decidí pasar por casa rapidito para dejar la bolsa de la ropa que había comprado y de ahí irme a la iglesia, ya que había venta de alcapurrias para sacar fondos. Al llegar a casa encontré al hijo del pastor. Había venido a averiguar por qué no había ido a la iglesia. En casa no había nadie y lo invité a pasar en lo que me bañaba. Entró nervioso. Lo llevé a mi cuarto. Se sentó en mi cama y yo me desnudé frente a él para irme al baño. Dejé correr el agua antes de meterme para esperar a que saliera caliente. Odiaba el agua fría. Cuando me metí, el hijo del pastor se desnudó y entró conmigo.

Luego se fue a la iglesia y yo me quedé en casa. Llamé a mami para decirle que me quedaba y que me trajera alcapurrias. Dos y una coca-cola de dieta. Mami me dijo que vendrían mucho más tarde, pues tenían que llevar a una hermana a Humacao y eso era lejos. Salí al balcón y comencé a fumar un cigarrillo.

Aprendí a fumar con un cantante cristiano que una vez dio un concierto en mi iglesia. Cuando me di cuenta de él, le hablaba coquetamente de la Palabra a un grupo de hermanitas. Yo lo observé desde lejos y noté cómo perdió el hilo al verme. Mientras cantaba una bachata cristiana y leía un salmo, no me quitaba los ojos de encima. Acabado el concierto me saludó con voz temblorosa.

—¿Tú cantas?—me preguntó.

—Un poquito.

Me ofreció ser parte de su coro. Le di mi número, pero antes habló con mis padres y les dijo que estar en el coro era un buen ministerio, un llamado. El pastor estuvo de acuerdo y mis padres me dieron permiso.

Estuve de gira todo un verano y todo ese verano fuimos amantes. Me quería de forma obsesiva. Cuando prendía un cigarrillo me daba uno a mí y desde entonces fumo siempre y a escondidas. Decía que el humo le daba un ronquido a su voz y eso les encantaba a las hermanitas. Me decía que cuando hiciera el crossover a la música mundana, me iba a llevar a vivir con él. Hacíamos el amor todas las noches y a veces en las mañanas. Pero me cansé de mi ministerio y volví a casa.

Mientras terminaba mi cigarrillo pasó el marido de la hermana Dalia que trabajaba en Acueductos y estaba apartado del Evangelio.

—Eso hace daño—me dijo; se detuvo, no antes de mirar a todos lados.— ¿Estás solito?

—Sí.

—Siempre te veo calladito y me sorprende verte fumando. A lo mejor no eres tan santito na.

En el cuarto de Mami, para poder mirar por la ventana, tiraba de mi pelo y me poseía, salivaba y me decía que era rico hacerlo conmigo. Cuando terminamos el esposo de la hermana Dalia se fue. Me acosté, cogí la Biblia que me regaló el hijo del pastor y leí un salmo para quedarme dormido. Al otro día sería el bautismo.

Mami se puso como una fiera cuando me vio las chancletas antes de irnos para el bautismo en el Yunque. —Pareces un jodio pato —me dijo—, tú no vas vestido así para ningún lado.— No me cambié. Me dio con la pandereta en la cara, me arrastró por el pelo y me metió tres bofetás, pero no me cambié. Me fui al bautizo con aquella ropa. Después que se cansó de darme, me dijo:

—Al que le van a decir pato es a ti.

Una vez llegamos, Mami agarró su Biblia y me sacó el cuerpo. Fui a donde la hermana Evelyn, la encargada, y me registré. Luego caminé hacia un lugar apartado, cerca de donde estaban parqueadas las guaguas de las iglesias. Me senté en una roca, todavía hinchado por los golpes de Mami. Miré al cielo y le dije a Dios que necesitaba hablar con él. Dios me habló con una voz salida del cielo pero que sentía en mi oído. —Es que eres soberbio, creéis que podéis hacer y deshacer.—Pero Padre—le dije,—si yo que soy un elegido para tu presencia no puedo hacer lo que quiero, entonces, ¿para qué me sirve estar aquí? Además, perdóname tú que eres Dios, pero te recuerdo que yo tengo libre albedrío.—Se quedó mudo, pero lo escuché pensar.

—Allá tú—dijo al fin.

—Id con mi bendición.

Quedé satisfecho al terminar la reunión. Había aclarado mi punto. Desde la roca vi a uno de los choferes de las guaguas sentado en su butaca, mirándome. Me llamó con un gesto. Entré a la guagua y ya tenía aquello fuera del pantalón. Continuamos en el último asiento. Me gustaba porque hablaba sucio y entre porquería y porquería me decía, agarrando mi rostro en sus manos, que no había visto nada igual. Salí de la guagua sofocado, loco porque comenzara el bautismo para refrescarme en el agua.

Hice mi fila y me dieron una vela. Papi, que había ido más temprano a ayudar al pastor con la organización, estaba con Mami. Miraban desde la orilla y tenían cara de desesperados. Deseaban que me metieran al agua de una vez a ver si así me entraba el Espíritu Santo y cambiaba. Era el tercero en fila y pronto llegó mi turno.

El pastor me miró con aquellos ojos de profeta que sabía poner bien. Lo vi mirarme con rabia y luego sus ojos vieron mi cara zafia. Lleno de placer, al verme mirarlo así, me reveló su rabia. Vi su cuerpo moreno y macizo a través de su ropa blanca mojada. Vi los pelos de sus brazos mojados, cerca de su piel. Vi que veía que yo veía lo que veía. Vi, a través de sus pantalones blancos, cómo dentro del calzoncillo blanco y de algodón, se le abultaba aquello. Vi a los hermanos en la orilla embelesados por mi belleza, mirándome. Vi la cara de Papi a lo lejos, mirándome mirar. Este muchacho es un monstruo, decía su rostro. Vi a Mami mirar mi monstruosidad en el rostro de Papi. Les di la espalda a mi padre y a mi madre y miré de nuevo aquello que ya se encorvaba sobre el muslo del pastor cuando me zambulló en el agua.

El sonido de las aguas me apretaba los oídos. Entre las rocas había una lata de cerveza. Unos camarones de río se apretaban sobre un tenis viejo. Vi los pies calzados por chancletas de goma azul de mi pastor. Luego me sacó del agua y por un segundo me llevó a sus brazos.—Limpio estás,—me dijo, y me tiró una guiñada.

Al rato, cuando se tomaba unas fotos conmigo y con mis padres, anunció que yo regresaría con él, solos hasta la iglesia pues teníamos cosas que discutir. Mis padres me dieron permiso.

No pudo esperar a que llegáramos a un motel: hizo que se lo tocara de camino. Yo se lo acariciaba y se lo miraba (idéntico al del hijo).

—Sentí algo divino—confesó aún fatigado sobre la cama.—Eres un misterio para mí.

Me abrazó y lloró. Me tomó en sus brazos como el día de su profecía y me dijo que me amaba.

Le prometí amarlo por siempre. Que me iría a vivir con él a Orlando a fundar allá, pero no quise que me llevara en su carro a casa. Le pedí que me dejara cerca de la iglesia. Quería estar solo un rato y así despejarme un poco. Sentir la frescura de la noche sobre el rostro. Y porqué no, ver además si me encontraba con algún tipo por el camino antes de llegar a mi casa. Entonces me acostaría, leería un salmo y me quedaría dormido.

El vampiro de Moca

Pongamos en contexto esta historia. Santurce, Puerto Rico, antes conocido como Cangrejos, pero ya nunca más. Santurce. Cuadras y cuadras llenas de oficinas de médicos, templos católicos, evangélicos, mormónicos, rosacruces, espiritistas, judíos y yoguísticos, si es así como se dice. Peste a alcantarillas las veinticuatro horas del día. Calor insoportable. Reguetón, salsa de la vieja, boleros, bachatas, velloneras, billares, máquinas tragamonedas. Barras de mujeres desnudas, barras de dominicanos, barras gays. Colegios católicos, de barbería, tecnológicos y de hacerse un profesional en tan solo un año y sin muchas asignaciones. Tiendas de tela, de artículos de arte, de farmacias sin receta, de barberías y beauties. Pero en la meca está el Seven-Eleven, que es como decir el Plaza Las Américas de los santurcinos. Allí lo conocí a él.

Miro por la ventana y todavía me parece verlo llegar. Sus mahones grandes, mostrando bastante de esos bóxers que no se caían gracias a las nalgas bellas que le guardaban la espalda. Sus tenis, siempre nítidos. Sin un hilo suelto en los cabetes. Sin una manchita al costado de la suela. Sus polos a raya. Su reloj plateado bailándole un poco en la muñeca. Suspiro porque no me queda más remedio. Su sitio, el Seven-Eleven, me digo.

Y vamos al principio de la historia, que no estoy de ánimos para experimentos. Tengo una casita en Santurce, por la parte de atrás del Antiguo Comité General del PNP. (Valga aclarar que es por pura casualidad que vivo allí pues yo, como casi todo protagonista de la literatura puertorriqueña, cuestiono la presencia yanqui). En la parte de atrás de mi casa alquilo un estudio. Pequeño, pero acogedor. Hace un año se lo renté a una pareja de lesbianas. Confieso que fue abrupto de mi parte, pues cuando accedí había pasado en esos días la parada gay y me sentía solidario. Error y horror. Todos los sábados sin falta la fila de mujeres entrando por mi marquesina era interminable. Empezaban prendiendo el BBQ y con la musiquita de Ana Gabriel, seguían con Shakira, con boxeo en pay-per-view y, al final, de lo más folklóricas ellas, sacaban los panderos y campanas para acompañar el CD de plenas de Lucecita. Tan pronto se acabó el contrato les dije que necesitaba el apartamento vacío. —Chévere pai—, me dijo una, y se mudaron.

Fue entonces cuando hice unos letreritos anunciando el alquiler del apartamento. Claro está, los puse en los gimnasios y cerca de las barras de nenes lindos con la esperanza de alquilar el estudio y ligarme un papi a la vez. Y como dice el refrán: "cuidado con lo que deseas, que se te puede cumplir". Esa misma noche recibí una llamada de un chamaco que trabajaba en el Seven-Eleven y que buscaba apartamento. A mí me gustó la voz. Sonaba bien machito. Ni corto, ni perezoso, me fui para la Fernández Juncos a conocerlo. Cuando lo vi quedé casi mudo. Me preguntó cuánto era la renta y le contesté como pude después de hacerle una rebaja sustancial. Me preguntó por el depósito y le dije que lo olvidara. No le di la llave allí mismo porque no tenía una copia. Quedamos en que lo vería al otro día.

Cuando salí de allí, Santurce se me había convertido en el sueño de todo urbanista puertorriqueño: un Edén con Adán parado detrás del counter de un negocio que —como yo después de ese día— nunca duerme.

Al otro día no fui a trabajar. Con la ayuda de un muchacho dominicano, que por cierto también estaba bueno, me dediqué a limpiar y pintar el estudio. Le puse un aire, televisor y hasta le pasamos una línea ilegal de Cable TV, que para eso pago casi cincuenta pesos todos los meses. Le puse sábanas nuevas y un radio que dejó mami antes de irse con mi hermana para Orlando. Bueno, qué no hice.

Llegó como a las nueve de la noche y cuando entró y vio el lugar me dijo:

—Mera, acho esto está brutal, papi. Con aire y to.

Lo tomó enseguida y me dijo que si no había problema se mudaba al otro día. Así lo hizo.

La noche de la mudanza —dos bolsas plásticas llenas de ropa, una caja llena de tenis y un juego electrónico— le hice una comida riquísima. Él, bendito, trajo del trabajo unas cervezas y una caja de cigarrillos para cada uno. Me contó que vino para el área metro, porque no conseguía trabajo en Moca, su pueblo, y que un tipo que conoció en Isabela le ofreció una pala para un trabajito en un negocio. El tipo se lo trajo a la casa pero después quería tirarse al nene y él, repito textualmente, respetaba a to el mundo pero no estaba con esa pendejá. La vergüenza ajena que me dio me puso tan rojo que me dijo- acho mano, viste, yo sé que no todos ustedes son así.

—Tú has bregao al cien conmigo y yo no te voy a quedar mal—. ¡Qué leída, Papá Dios! Y cómo no me va a leer, si hasta cortinas le puse al estudio.

Me disculpé en ese momento y me fui para casa pensando en que ya era hora de desarrollar un poco de autorespeto y de dejarme de trucos de locas de los años sesenta, que ya estábamos en el siglo 21 y que el amor no se compra.

Casi no dormí, el silencio que me llegaba del estudio me desveló.

Al otro día, decidido a dejarme de payaserías y de artimañas, fui a dejarle un desayuno al chamaco, no por hacerle la camita, sino por alimentar a un ser humano. La noche anterior me había dicho a mí mismo "basta ese desbocarse por cualquier hombre". Toqué la puerta de aluminio y no tardó en abrir. Dios mío. Estaba en unos bóxers pegaditos a las piernas y con aquello levantado. Tenía una barriguita de cerveza, de tanto estar en la esquina dándose una fría con sus panas, acomodándose aquel montón cada vez que pasaba una mami. Tenía un tatuaje con el nombre de Yomaira cruzándole el pecho y en las axilas se asomaban unos vellos medios canos, que son la muerte para mí. Olvidé mis propósitos, llamé enfermo al trabajo por segundo día consecutivo y lo invité a Plaza para comprarle lo que le hiciera falta.

Así pasaron los días. Mis amigos en la barra ya me daban por muerto. Hasta que se apareció la Carlos por casa. Yo estaba con el nene en el balcón cuando lo veo parquearse al frente. Baja, abre el portón y mirando al nene y mirándome a mí me dice bien partía ella:

—¿Se puede, o estás ocupado?

El nene se excusó, se fue y la loca me miró de arriba abajo bien seria y me dijo:

—Nena, ¿y ese macho?

La Carlos no cambia, pensé, y me alegré de verlo. Nos reímos mucho esa noche y me convenció para que subiéramos a Tía María.

Tía María, mi segundo hogar. Y lo digo sin cinismo. Me encanta esa barra. Los dos billares, la vellonera tocando a Lissette, Lucecita, Yolandita y la Lupe. Desde que el nene se había mudado para el estudio no había vuelto por allí. La verdad fue chévere ver a las locas de siempre y más aún cuando hacía tiempo que yo no iba. Me sentía como carne nueva y esto en este ambiente es un plus. Todo el mundo me encontró más flaco.

En eso pasó un bugarroncito con el estilo de mi inquilino y la Carlos me mira y me dice:

—¿Y el nene? ¿Brega?

Le dije que no —bien serio yo—, que le había alquilado el apartamento, que era de Moca, que tenía una nena que se llama Yomaira y que era de lo más tranquilo y trabajador. Le dije además que no me interesaba como hombre. La Carlos, que no pierde tiempo, me interrumpió:

—O sea, que tengo carta blanca.

—Por mí...—mentí, encogiéndome de hombros y sintiendo ese frío en la médula ósea que llamamos "celos".

Una noche tuve que hacer doble turno y cuando llego a casa veo al frente el carro de la Carlos. Entro y me asomo por el estudio y allí estaba Carlos hablando con el chamaco, comiendo pizza y fumando pasto. Loca cabrona, pensé yo, pero me puse serio y le dije al nene:

—Pai, no quiero problemas con los vecinos. Si van a fumar, chévere, pero con la puerta cerrada.

Los cabrones se me echaron a reír en la cara, con la nota que tenían. La Carlos me abrazó por el cuello y me dijo:

—¿Tas celoso, papi? Mira, si él es tuyo. ¿Verdad, papi?

—Acho, mano, sí. Todo tuyo—dijo el nene corriéndome la máquina.

Esas palabras se me quedaron grabadas en la mente como en las películas de Bergman: "Todo tuyo, papi, todo tuyo". Pero "todo tuyo" fue que me cogió amistad con la Carlos y se la pasaban de arriba abajo por ahí.

Yo hice lo que todo el mundo hubiese hecho, llamé a mi ex, el que me las pegó en Santo Domingo, para que me dijera que después de mí no había conocido a alguien tan especial. Para eso sirve mantenerse en buenas con los exes, especialmente si bregaron mal con uno.

El tiempo pasó y Santurce volvió a ser el paraíso perdido de siempre. La misma calma de lunes a miércoles y el mismo entusiasmo publicitario del fin de semana. Aproveché y fui al MAC y al MAPR, a Bellas Artes y a ver todas las películas que ponían en Fine Arts y en el Metro, menos la de Mel Gibson, a quien no soporto por homofóbico.

Me sentía abatido, si algo soy y he sido siempre es mal perdedor. Me da rabia y hasta me siento invisible, incapaz de sentir ilusiones. Ya Carlos ni se molestaba en saludarme cuando entraba al estudio, y yo desde el balcón veía a mi Adán entrar y salir cada día más bello y cada día más alejado. Una noche me di par de cervezas de más en la barra y como dos bugarrones se acercaron a ofrecerme sus ocho y nueve pulgadas, respectivamente, se me bajó la nota. Siempre me deprimo cuando se me acerca un bugarrón. Me siento viejo, o peor aún, siento que debo verme viejo y patético como para que estos seres se piensen objetos de mis deseos. Me dije—pal carajo— me fui para mi casa. Una vez allí vi el Tercel de la Carlos y me fui al estudio y miré por la ventana. El nene y Carlos desnudos en la cama que yo había comprado, con el aire que yo había comprado y entre las sábanas que yo había comprado. Y ese era el machito tan machito, me dije encabronado, y en esas el nene se levanta y yo me retiro de la ventana. Pasa un rato y miro de nuevo y cuando veo lo que veo saco factura de todos mis gastos y me doy cuenta de que este adancito de Moca me debe y mucho: la Carlos se lo estaba clavando.

Me senté en el balcón a reírme de mí mismo y de Carlos y de todos nosotros los gays, habitantes eternos de Santurce, que hemos pulido esas aceras cangrejeras una y otra vez buscando machos, velando machos o simplemente borrachos tarde en la madrugada, echados todos del brazo, riéndonos triunfales de los carros que pasan gritando: ¡maricones! Y nosotros, levantando los brazos como las mises de los reinados, les gritamos: ¡bugarrones! Y nos vamos pal carajo, cogidos de manos, mariconeando por la Ponce de León. Y me río de la Carlos, con tanta gasolina que gastó la pobre yendo y viniendo de Moca, comprando pizza y arroz chino, capeando pasto en La Colectora. La Carlos, como yo, pensaba—este sí es un hombre de verdad—y por lo que vi se le viró en la cama. No es que sea malo que dé el culo, es que uno como buen pendejo da la vida para encantarlos y los pone en estos altares: bellos, masculinos y cien por ciento activos. Y me digo:

—Cuando salga la loca de Carlos la invito a Junior's, que esta noche hay strippers y cambié veinte pesos en billetes de a uno. Más alante vive gente.

Por Guayama

Sammy:

Primero te digo que perdones la letra pues no me traje los espejuelos. Es que nene, tengo un corre y corre con Guayama que se me ha puesto mala y no tengo cabeza. Por eso es que te ando buscando, para que me pagues lo de las cortinas, que con lo de Guayama ando flojo de cash. Yo sé que tú dependes de tus clientes para pagarme, pero se me muere Guayama. El Doctor me dijo que había que ponerla a dormir y nene yo por poco me desmayo. Hasta me dieron un algodón con alcoholado y todo porque me mareé. Él sabe de estos casos y se portó bien nice. Hizo que le contara cómo la había conocido y le expliqué que dando una vuelta por la isla la recogí en plena autopista, después del peaje de Guayama y de ahí el nombre. Anoche la dejé en el consultorio para que descansara, pero mañana la inyectan. Cuando llegué a casa, sentí un vacío y un miedo de estar tan solo que dije: no, yo no la voy a perder. Me metí enseguida al internet y averigüé de un sitio allá afuera que pueden disecar a Guayama. Dicen que el pelo se lo dejan como si estuviera viva. Tú sabes la mata de pelo que tiene Guayama. Necesito los chavos para eso. Llámame, nene, que necesito esos chavos.

Tu amigo,
NALDI

· · · · · · ·

Sammy:

Es la segunda vez que vengo a tu casa a dejarte una nota y no te encuentro. Y para colmo, aquí está la nota que te dejé ayer. Nene, bendito, llámame o pasa por casa que necesito esos chavos urgentemente. Por mí no, es por Guayama, que el doctor ya me está apurando porque está sufriendo demasiado. La gente que embalsama ya está lista para recibirla pero me falta lo del envío del cuerpecito. Eso es carísimo. Mira mi desespero, que llamé a Héctor, a quien tú bien sabes que no le dirigía la palabra hacía más de un año, desde que me dijo "proxeneta" delante de mi hermana, para pedirle el dinero prestado en lo que tú me pagabas. Pues bueno que me pase por humillarme: la loca me dijo que yo estaba loco, que eso era cosa de gente enferma, que por eso me había dejado de hablar y veinte mil barbaridades que ni te cuento. Por eso necesito los chavos urgentemente. Llámame, please.

Tu amigo,

NALDI

. . . .

Sammy:

Esta mañana pusieron a dormir a Guayama. Yo me sentí, nene, que ni te cuento. Desesperado. No puede pasar mucho tiempo después de la muerte para mandarla, pero el Doctor insistió y lo hicimos. Yo estuve presente para asegurarme, como recomiendan los que disecan —eso tiene un nombre pero no me acuerdo— de que no le pongan ningún químico con color para no dañar el pelaje, que así queda más bonito. Me dio pena pero como sé que la voy a tener si tú me das lo de las cortinas, pues no me afecté tanto. Más pensé en dónde estarás tú, que en ponerme triste. Ese trabajo cuesta chavos. La tengo bien envuelta en el fríver del colmado del lado, que para la doña, después que le dé sus cuartos, como ella dice, lo demás no es problema. No se hace preguntas.

Pero, imagínate, hoy mismo me mandaron un di-
vidí de la compañía y si tú vieras la gente con los
perritos, jugando con ellos como si estuvieran vi-
vos. Estoy desesperado, peor aún, aquí están las
otras dos notas que te dejé anteriormente. Nene,
¿dónde estarás? La vecina me dijo que estás en
Santo Domingo. Conociéndote, no lo dudo.

NALDI

. . . .

Sammy:

Ya veo que es verdad que estás en Santo Domingo. Tu casero me lo acaba de confirmar. Es más,
me dijo dónde estás exactamente. Ya tú verás. Yo
necesito esos chavos y si lees esta nota estoy en
Santo Domingo, que tú sabes que a mí me salen
gratis los pasajes porque mi hermana trabaja en
American.

NALDI

. . . .

Sammy:

Como ves en el papel de esta nota, estoy en tu
mismo hotel pero no te encuentras en tu habita-

ción como dicen aquí. Necesito que te comuni-
ques conmigo cuanto antes. Es urgente. También
te digo que tuve que poner mi cuarto a tu cuenta.
Me lo descuentas de lo de las cortinas. Estoy desesperado. Mira que cuando mencioné tu nombre
aquí en el hotel rapidito entendieron la que había
y me han llovido los ofrecimientos, pero esos no
los puedo poner a tu cuenta. Además, no estoy
para eso con Guayama en aquel frízer en Santurce. Te espero.

NALDI

. . . .

Sammy:

Voy a un pueblo que se llama Azua. Después de
contarle a la muchacha del counter lo que me
pasó, me dijo que allí tenía un tío que diseca
animales. Voy a ver cómo quedan, pues tiene un
muestrario. Si llegas no te vayas. Dile a los del
counter que te comuniquen con el celular de Yas-
relis, que andamos juntos. Hoy mismo regreso al
hotel. No te vayas.

NALDI

. . . .

Sammy:

Estoy de regreso al hotel y de ti ni una nota. No
saben de ti. Salgo para Puerto Rico pero regreso
en dos días. Fui a Azua y me gustó el trabajo que
hace el señor que diseca. Los ojos se los pone del
color que tú elijas. Me dieron un masaje y lo puse
a tu cuenta. Después te cuento con detalles. Esto
es el paraíso. Cuando llegue a Puerto Rico me va
a recoger un primo del señor que diseca y él mismo me va a acompañar al colmado para llevarse a
Guayama y preparármela para el viaje de regreso.
Creo que la cubren en unas sales o algo así. Como
no puedo contar contigo para lo de los chavos,
voy a empeñar unas prendas que dejó mami por
si un día le daba una nieta. Pues ya está, qué más
nieta que Guayama. En dos días estoy aquí con la
perra. Me voy feliz.

NALDI

. . . .

Estimado "amigo" Sammy:

Te escribo esta carta desde la cárcel. Sí, preso
como un criminal por amigos como tú. Si me vieras. Estoy todo afeitado y vestido de mujer. Con
un marido que me obligaron a escoger tan pronto

se dieron cuenta de la que había. No puede ser más ordinario de lo que es. Esto es humillante. Necesito tu ayuda urgentemente. Me urgen los chavos de las cortinas para pagar mi abogada. Lo de Azua fue todo mentira. Tan pronto llegué a Puerto Rico el supuesto primo se llevó a Guayama dizque para prepararla. Lo que hizo fue rellenarla de tarjetas de seguro social, certificados de nacimiento y hasta pasaportes. Se dieron cuenta en el aeropuerto. Eso es delito federal y estoy trancado por robo de identidad, contrabando de documentos, apropiación ilegal y qué sé yo que más. Please, mándale los chavos a la abogada, porque mi hermana ni me coge las llamadas. A Guayama la tienen congelada en el edificio federal. Ahora es evidencia. Cuando la abogada aclare todo esto y yo salga libre, tienen que devolvérmela. Aquí, a través de un amigo de mi marido, supe de un señor en el mismo Santurce que diseca animales. Nene, prácticamente al lado de casa. Lo que es no saber. Dame lo de las cortinas, si no lo haces por mí, hazlo por Guayama, please.

NALDI

La Edwin

Aló… ¿Loca? ¡Por fin contestas ese celular!… Si
no es por la Jorge no sé de ti. Niña… Ya te has
mudado por todo Santurce… Sí, la Jorge ya me
dijo. Tú no aprendes, niña. Y por falta de con-
sejo no es. Mira, que no es fácil vivir con fa-
miliares. Pero, bueno… ¿El que está puesto? La
Yola. Niña, bello… Loca, estamos hablando de la
Yola. Se ve regia. Esa loca que la maquilla se me-
rece un premio para ella solita… Está fabuloso,
no paro de escucharlo. No, nena, no te lo pres-
to. Porque tú te mudas más que un circo. Como
si debieras pensión alimenticia. Desapareces y
después para encontrarte es una chavienda…
No, niña, no… No insistas. Tú mejor me traes
un CD, y no uno de esos baratos de Pitusa que
ensucian el estéreo, y yo te la grabo. No, no tengo CD para quemarlo. ¿Qué te crees que soy, mi-
llonaria?… Sí, niña, este tiene la que está pegá,
pero tienes que oír otra que está tremenda. La
Yola se la vive.

¡Ajá!... Oye, cambiando el tema, ¿te llamó la Edwin?... Sí, Edwin. La que se cree hombre. Nena, la del grupo de apoyo... Qué raro porque la loca está llamando a todo el mundo... Sí, nena, esa misma... Ay, yo no sabía que le decían así. Eres mala, niña, mala... Bueno, me llamó anoche, bo-rra-cha... Diciéndome que se sentía solo, que para él era difícil bregar con esta pendejá, refiriéndose a la patería... Yo la dejé hablar... Para que se desahogara. Espérate un momento que me está entrando otra llamada... Aló... aló. Aló, aló. Qué raro, no quisieron hablar... La cosa es que la dejó un macho...Sí loqui, ella se metió con un

fupista de esos que ponen bombas y que quieren al ROTC fuera de la universidad... Sí mija, como no pueden liberar la patria ahora se van a liberar sexualmente. La cosa es que el "Che Guevara" este le bajó fuerte a la Edwin y ella cayó... Pues, mucha poesía, muchas marchas juntos, que si las noches de galería, pero a la hora de la verdad El machetero no podía usar el machete ni en nombre de la Revolución Cubana... No, loqui. Ese no era el problema. Es que el tipo era y que estreit. Tú sabes, esos chamaquitos que ahora se creen todos bisexuales... ¡Niña, sal de las barras y entérate del mundo! El fupista le dijo que lo amaba pero que en otra dimensión, que no era algo físico... Eso, de forma platónica... ¿Yo? Pues le dije:

"nena, el tiempo de los griegos ya pasó. ¿OK?"
El compañero, que es como se llaman entre ellos,
consiguió compañera... ¡¡¡Ah!!! Pero con ella sí
podía conectarse sexualmente y entonces le dijo
a la Edwin que quería seguir con él en el pla-
no emocional... No, nena, nada de nada. Ni eso.
Pero no me interrumpas que pierdo el hilo...
Pero, espérate. Ahí fue cuando yo le dije: "¿Y
tú no chichas, mija?" La Edwin, con tanta universidad, se dedicó a lo que nos dedicamos casi
todas las primerizas, a sufrir... Ay, nena, espérate que ya termino. Además, tú siempre llegas
tarde y si un día llegas temprano tu jefa te bota
por joderte... No me interrumpas. ¿Dónde me
quedé?... Ajá... La Edwin siguió con el prócer y
ya te los puedes imaginar, con futón en el piso,
quemando incienso, poniendo música de protes-
ta, velas, t-shirts de "Paz para Vieques" y escri-
biendo poesía que no rima. Y la Edwin durante
todo esto ¿cómo estaba? ¡Bellaca!... Así pasó el
tiempo y un día "Fidel" llegó a la casa, cogió sus
cosas y, niña, se le fue a la Edwin con una loca de
Condado... Sí, nena, del Condado, y para colmo
estadista. ¡Muérete! Me dicen que la Edwin está
que hasta se metió al gym. La pobre me contó
todo esto como llorando. La verdad es que me
dio pena y coraje a la vez y le dije: "nena, agúzate, que este ambiente es así. Todas las locas

son iguales y ustedes las jovencitas lo quieren cambiar todo de la noche a la mañana. Que si la bisexualidad, que si gay es una identidad política, buchas y locas juntas todo el tiempo, pero —entérate niña— que el mundo es mundo desde hace mucho tiempo. Y este mundo de nosotros es así"... Se quedó calladito. Raro porque él siempre explotaba si le decían loca o niña. Después me dijo que lo más que le jodía era la pérdida de energía... Tú sabes que ella habla así. Ya ahí yo la paré y le dije —tú sabes como soy yo—: "¿Pérdida? ¿Pérdida? Niña, tú no sabes lo que es pérdida. Pero, yo te lo voy a decir. 1985. Siete. No uno ni dos. ¡Siete de mis mejores amigos, incluyendo a mi amante —de nada más y nada menos ocho meses de relación— murieron! ¡Pum, pum, pum! Uno detrás del otro. Eso, mi niña, es lo que se llama pérdida. Así que, mi amor, déjate de experimentos e inventos y acepta lo que tú eres. Un PATO. P-A-T-O. Pato. No hay más na... Tú sabes que yo se las canto a cualquiera. Por algo estoy aquí. Digo, yo y la Yola, que es la única que me entiende... Sí, ya sé. Que te tienes que ir. Me llamas, contrayá... No, tú me traes el CD... Que no, loca. Bye.

· · · · · · ·

Aló… ¿Loqui?… ¡Niña, tanto time!… Oye,
¿no te llamó la Edwin?… La que se cree machito… Nena, sí, el nene del grupo… Qué raro porque está llamando a todo el mundo…

Junito

Wey, Junito. ¿Qué pasó? ¿Cómo estás, mano?...
Pues, ahí, ya tú ves. Que mañana me voy pallá
fuera, vite, y un tipo ahí de La Colectora me salió a comprar el carro y yo le dije que hasta hoy
no se lo daba pero él quería llevarlo a chequial
con su cuñau que es mecánico. Ya tú sabes, a pie
mano. Voy pa case la vieja a despedirme y a buscar unas cosas que le va a mandar a mi hermano. Hace años que yo no cogía una guagua desta.
¿Cuál es la que va pa la 26? Ah, chévere, 75 chavos, ¿verdad?... ¿Y qué, mano? Diablo, hace año
que no hablábamos. Tú sabe. Uno mete las patas,
se casa, el trabajo y to esa pendejá y, mano, no
hay tiempo pa na. Acho, por eso es que me voy.
Esto aquí está jodón y pa criar a los muchachos
es una jodienda, mano. Sí, son dos... el mayor
diez y el otro nueve... No, acho, ella se operó.
Yo le di la firma. Tú sabe, la cosa está fuerte y no
se puede tener más hijos. Queríamos la nena pa
tener la parejita pero salió otro macho. Ta bien.

Así se hacen compañía, vite, y se defienden uno al otro...

No, pa Nueva York, no. Es pa Boston que nos vamos. Digo, es más arriba de Boston. Es que mi hermano, Samuel, el mayor, el prietito, trabaja allá en una factoría y están buscando gente. Le habló a la jefa y, pues, pallá voy. Yo me voy alante y después, cuando tenga apaltamento, mando a buscar a la doña y a los nenes. Ella está contenta, los nenes son los que tienen como que miedo por el inglé, vite, pero ya tú verá que rápido lo aprenden... ¿Yo?... Yo hablo el pollito chicken. No, mano, pero me defiendo. A mí, si me hablan suave, yo los puedo seguir pero cuando empiezan con el guachulín ese, mano, me pierdo. Pero, vite, en la planta esa hay muchos hispanos, además allá to el mundo habla español. Hasta en las tiendas, dice Samuel.

¿Y tú qué, pai?... ¿A trabajar? Ta bueno. Tú estudiaste, mano, y mira un trabajito pal gobierno está chévere. Hoy en día son los más seguros y ahí no tienes que matarte tanto... Acho sí, suavecito...

Junito, mira, perdona lo que te voy a decir, la verdá, pero, mano, yo tú me iba de aquí. Tú sabes por qué te lo digo. La gente jode mucho y se mete en la vida de los demás. Mano, yo tú, con estudios y to, me largaba lejos de este canto.

Papá, yo veo las cosas, y yo sé de los tipos estos que se paran en la esquina a jodel. Que si Junito esto, que si lo otro. Antier mismo, un pendejo ahí del redondel, jodiendo contigo y yo le dije mire, compi, déjelo quieto que él no le ha hecho ná, y ahí empezaron a joder, que si tu marido, que si bugarrón, y yo, mano, los mandé a tos pal carajo y me fui pa casa encojonao. Mire, dejen a la gente tranquila, si son así pues que se joda, a mí después que no me falten el respeto, no hay problema, mano. Además, uno tiene hijos y nunca sabe como le puedan salir. Por eso yo te digo, Junito, vete de aquí, mano. Mira, el otro día yo andaba por Condado y, mano, habían muchos por allí. Acho, tú veías algunos hasta to musculosos, siempre se les nota que son medios raros pero, mano, tipos que se veían bien, vite. Parece que ellos se mudan cerca y así como que es más fácil conocerse. Sí, acho, vete pallá.

Pero bendito, Junito, tu mamá hizo su vida: tú tienes que jalar pa tu lao. Además, tú tienes más hermanos y se pueden dividir pa cuidarla. No te dejes joder por la pena que tú tienes que vivir tu vida, papá.

Yo te hablo así, mano, porque yo estoy seguro de lo que soy. A mí esa pendejá no me gusta pero tampoco jodo a los que son así. Mano, las cosas cambian, estamos en otro mundo. ¿Tú tienes cable? Ahí enseñan un montón de cosas, mano. En Showtime hasta se besan y to.

¡Cristóbal, tú eres mío! ¡Ah, papá, tú sabes que tú eres mío! Mañana. No, me va a llevar mi hermanito. Sí, pa Boston. No, mano, pa quedarme. Enigüei, yo bajo más tarde a despedirme de los muchachos. Ah, pues nos vemos allá. Cuídate.

No te asustes, es que nosotros jodemos así… Pues sí, mano, ¡Ah!, pues se besan y to, y tú ves a los tipos normales; si tú los ves por la calle y ni te das cuenta que son del otro lao. Es que allá afuera hay más libertá pa eso… Yo creo que hasta se casan… y tienen nenes y to.

Yo me acuerdo, mano, cuando éramos chamaquitos, vite, yo te jodía mucho. Ignorancia, mano. Repitiendo lo mismo que decían los demás pero mira, tú saliste mejor que tos nosotros y los que te joden hoy en día es que te tienen envidia.

Tú dirás que por qué yo sé tanto de esta pendejá, mano… no vayas a decir na, pai, voy a confiar en ti… y es que, vite, el más chiquito mío como que es así. Acho, desde chiquito lo miraba y lo miraba y ¡jum! Mano, yo creo… Al principio me jodió la cosa, tú sabes… es mi hijo y a la gente así la joden mucho… Acho, Junito, yo mato al cabrón que me le diga algo al nene. El mayor un día se puso con él a decirle cosas y yo lo paré.

Este que está aquí es tu hermano y tú y él llevan la misma sangre. Como yo te coja diciéndole pato otra vez, te voy a romper la cara, ¿me oyes? No es fácil, digo, uno nunca sabe, verdá, pero yo me lo huelo... La mai no dice na, nosotros no hablamos de eso, pero yo sé que ella sabe.

Un día la escuché hablar con la hermana de ella, la que está casá con el de la Holsum, la más gordita de las tres. Esa misma... pues la pendeja le decía que el nene le salió así porque y que ella quería mucho una nena cuando estaba preñá. Que lo metiera a los cobitos, a coger karate y cosas así pa que él supiera que es un macho. Y, mira, no es que el nene sea una mujercita ni na deso, es que es diferente. Él como que no sé... Bueno, por eso es que yo me voy, mano... Aquí las cosas están malas pero no tanto, tú sabes que uno se las arregla como puede. Pero yo quiero que el nene viva en un sitio chévere, que si es verdá que me va a salir así pues, mano, que se pueda desenvolver... No es fácil, Junito, pero es mi hijo y a ese pendejito yo lo quiero con cojones. Me voy de to esto, mano, porque, si no, voy pa la cárcel porque al primer hijueputa que se meta con él, lo mato, mano.

Yo lo veo que cuando va pa la escuela, él como que lo piensa, yo sé, mano; él no dice na pero yo sé. Digo, uno no puede sobreproteger mucho a los hijos pero hay que hacer lo que se puede, vite.

Pero a lo mejor no… Hay tipos que se ven así y no necesariamente son desos…

¡Wepa! Mañana. No ta bien, yo cojo la guagua, ya el chofer dio la vuelta. No ta bien… ¡Suerte! ¡Gracias!

Ese cabrón que me saludó no lo soporto, mano… Ten cuidao con ese, mano, que ese tipo es un vividor… él se las pega a la mujer con tipos que se visten de mujer en la 15 y les saca chavo… les mete una pela y después los deja. Si eso to el mundo lo sabe en el barrio… un cabrón abusador y la mujer toa jodía… Tan linda que era cuando chamaca… hasta curso de modelaje y to cogió. Se metió con ese cabrón y se jodió…yo que nunca le tiré… yo decía, esa, esa se casa con un doctor o un abogado o algo así. Y se metió con ese cabrón… Uno de los tipos esos que se visten trató de demandarlo cuando le dio una pela pero el que salió jodío fue él… los policías hasta lo escupieron cuando fue al cuartel y to, mano… pero a ese cabrón le llega su día. Ojalá que le toque con la persona equivocá y se joda, pa que no sea cabrón… Perdona, pero es que la gente así me encojona, yo no soporto el abuso. No te niego que a veces he cerrao los ojos pa no ver pero, mano, hay mucho cabrón abusador.

Pai, aquí viene mi guagua. Cuídate y vete pallá fuera o pal Condado... pídele a mi mujer mi
dirección... por si acaso te da con irte pa Boston.
No te preocupes que si alguien sabe que yo soy
macho es ella... pídesela. Pa que te vayas de to
esto.

Botella

Le dije a Caneca que dejara abierta la puerta del frente pa no tener que gritarle desde afuera a esa hora cuando llegara yo, tarde en la noche, borracho para poder bregar con el viejo, que paga bien pero apesta a ron por más que se bañe. Como siempre, se le olvidó y no me quedó otra que gritarle, Paco, Paco, que es su nombre, pero yo le digo Caneca, aunque él no sabe na. Le grito Paco, Paco y me oye y entro y me da comida y una línea y me lo mama y le pido que hoy quiero que me la saque con la boca, que él me la saca como nadie, para no tener que darle, pues la verdad que no podía clavármelo esa noche pero tampoco me venía y entonces me dijo que me lo clavara y me lo clavé y le dije que me venía pero no era así y grité y le dije que él era mío y el viejo se vino y yo me reí, porque me daba gracia que fuera tan maricón.

Me fui a casa pero la puerta estaba trancada y había una nota en la puerta diciéndome que esta vez sí, que yo era un abusador y que me fuera de una vez por todas. Toqué la puerta y me abrió la mai y me dio una bolsa con mis cosas y me dijo que no podía pasar, que la nena, su hija, o sea, mi mujer, no me quería ver. Me fui con la bolsa para la casa de Caneca y lo llamé pero no me abrió. Lo llamé dos veces más y no me abrió. Chequié la puerta del frente y estaba abierta. Llamé pero del viejo, nada.

Fui directo a la nevera y tomé agua porque la coca me daba sed y el camino era largo y ahí fue que sentí la peste a mierda y dije, el viejo está cagando y fui al baño a decirle cualquiera viene y te mata tú dejando esa puerta abierta y cuando voy Caneca está en el inodoro con la lengua salía y un cable en el cuello.

Me cagué del susto y dije pal carajo, me voy de aquí y me fui. Pero ya casi llegando a la pla-ya, adonde iba a ver si encontraba otro viejo o un gringo, me acuerdo de las huellas digitales y vuelvo donde Caneca. La puerta estaba igual y me quito una media para borrar las huellas de la cerradura y limpio las de la nevera y las del vaso y las de todo el lugar, por poco paso la me-dia por toda la casa y me pregunto si las huellas se quedan en el pelo porque agarré por el pelo a Caneca cuando me lo mamaba pero no creo y me olvido de eso y me pongo la media y me voy pa la playa. La peste a mierda se me queda en la nariz y por todo el camino me da con ver debajo del zapato a ver si pisé una pues el olor no se aleja.

Me voy a la playa y no hay un alma y encuentro un periódico y me pongo a leer y me acuerdo del ADN en el cuerpo del viejo y regreso para su casa pero antes compro cloro para pasárselo a Caneca y borrar el ADN, que se borra con cloro.

Compro el cloro y la vieja que me lo vende me mira como diciendo para qué quiere éste cloro a esta hora. Llego a casa del viejo y entro. Primero le echo el cloro por los labios, me quito la media, me la pongo como guante y le abro la boca para echarle adentro. Después lo empujo con la pierna para que caiga en la bañera y ahí le echo más cloro por detrás que está to sucio. Lo abro bien y le echo hasta que se acaba la botella y prendo la ducha y lo dejo ahí.

Cuando iba a salir me acuerdo de la botella vacía y regreso a buscarla. Salgo de nuevo y no hay un alma en la calle. Vuelvo a casa y le pido perdón a ésta y me perdona. Quiere que lo hagamos pero no se me para por la coca y por el susto y me dice que yo huelo a cloro, que huelo a motel y me bota de nuevo y la mai me da la bolsa con mis cosas y me voy a dar una vuelta pensando en dónde puedo dejar la bolsa porque a la playa no puedo volver con la bolsa y decido ir a casa de un profesor que antes yo me cogía pero ya no quiere y lo llamo.

Me abre y me dice que huelo a cloro y yo me invento que estaba en una piscina pido que me deje bañar y me deja. Se mete al baño conmigo porque dice que yo le robo si me deja solo y es verdad porque yo le robé unos CD que nadie me quiso comprar, porque eran raros. Me baño y él me mira pero no hace gesto y yo me lavo el guebo para que me lo vea a ver si se pone en algo pero nada. Me da café y deja que me acueste un rato pero después tiene que ir pa la misa y me despierta y me dice que me vaya. Hago como que me olvido de la bolsa y la dejo.

Paso por casa de Caneca y todo se ve tranquilo desde afuera. No hay patrullas ni nada y decido irme a la playa a ver qué pasa. En la playa me encuentro a un tipo con quien nadie se va porque nunca tiene chavos y sólo paga con cosas. Bejuco, un chamaco flaco y grande que lo tiene de once pulgadas, una vez le sacó un televisor pero le dio trabajo venderlo en la playa y se lo tuvo que llevar para su casa pero lo dejó a mitad de camino porque pesaba mucho. El tipo me miró y me ofreció un cigarrillo y me fui con él para que pasaran las horas.

Me pagó con unas chancletas y una camisa y me las puse y me fui para la casa de Caneca. Nada, no había policías.

Dije, mejor llamo yo y digo que se murió alguien en tal y tal sitio. Y llamo y hablo rápido y la mujer policía me dice que tengo que llamar a otro cuartel que no tienen patrulla y yo cuelgo pero antes le doy de nuevo la dirección de la casa de Caneca.

Me meto al cine Metro y me quedo dormido porque no me gustan las películas y el frío me da sueño pero se acaba la película y compro otra taquilla y me duermo otra vez pero se acaba y me tengo que salir del cine pero ya está de noche y vuelvo a la playa y ya hay más gente.

Mataron a Paco, me dice Niebla, otro tipo que se las buscaba y conocía al viejo. Yo le pregunté cómo fue pero me dijo que no sabía, que lo ahorcaron y le echaron cloro y me acordé que había dejado la botella vacía en la bolsa y viro para la casa del profesor, que ya había llegado.

La bolsa estaba encima de la mesa y la había abierto y me preguntó por el cloro y yo le dije que era para lavarme después, que eso mataba el sida y me dice que mataron a Paco y que le echaron cloro, y me pregunta que si yo sabía algo de eso y le digo que no, que no sabía, que era casualidad.

Me miró raro y entonces con un cable lo ahorqué para que no hablara.

Cogí su cartera y tenía como seiscientos pesos y dije, compro un pasaje y me voy a México pero en el aeropuerto me preguntan que si tengo pasaporte y le digo que no, y mejor me compro uno para Boston, que allá vive una hermana mía. Pero me acuerdo que no tengo la tarjeta de votar y me voy a casa y ésta me la da pero me perdona y no me voy y pierdo el vuelo. Por la madrugada me levanta y me pregunta que de dónde yo saqué esas chancletas y la camisa y me dice que ella no es pendeja y me bota y me voy al aeropuerto y digo que me atrasé pero no hay vuelo hasta el otro día, entonces me voy pa la playa y sólo hay policías y no hay ambiente. De ahí me voy a Río Piedras y los guardias por tos los sitios. Me encuentro a Conejo y me dice que mataron a dos y que la policía está buscando al que fue, que fue un bugarrón de seguro. Le pregunto si no conoce a nadie que me reciba y me dice que me vaya adonde el del beauty que estaba dando vueltas y que se fue cuando vio tanto policía.

Arranco para la casa del del beauty y me deja entrar y me lo clavo. Me quedo dormido y el del beauty me deja dormir porque ese se enamora de los tipos y se los lleva a vivir con él. Al otro día me preparó un baño y me hizo desayuno y me había sacado algo de ropa para que estuviera cómodo. Yo me quedé en calzoncillo y lo puse a mamar en la mesa después de comer. Me quedé tres días pero al tercero, me tenía cansado con el olor a esprey de pelo y me fui pa la playa y me encontré con Botella.

No se llama Botella, pero yo le puse así porque siempre andaba con una botellita llena de cloro para lavarse después de un polvo y matarse cualquier pendejá. Me acuerdo de Caneca, que me decía estas marcas son cicatrices de guerrero. Botella me dice que lo están buscando o sospechan de él por lo del cloro y yo le digo que le regalo un pasaje para que se vaya a casa de mi hermana que estaba sola. Y me dijo que mejor que sí y nos fuimos a su casa y de ahí al aeropuerto y nos dicen que no se puede cambiar de nombre el pasaje pero ahí es que reconozco un tipo del ambiente y le hago seña y viene nervioso pero viene y yo le explico y Botella le explica que se va a casar con mi hermana. El tipo me dice que hablemos aparte.

Nos comemos algo. Después de un ratito le digo a Botella que me siga y llegamos al cuarto, el tipo está allí y nosotros de lo agradecidos ya lo teníamos parao pero el tipo dice que él lo que quiere es vernos bregar y bregamos y yo me lo clavo porque el tipo dijo que quería verlo así pero me vine rápido y como que quería más pero Botella se vino en mi boca y el tipo cambió mi pasaje y Botella se fue. Lloró el cabrón. Yo no fui, me dijo, y se fue.

Arranqué pa la playa pujilateao y por estar mirando pal carajo piso una mierda y es de algún cabrón tecato y me voy a la orilla y lavo la chancleta pero la peste no se va y me siento y dejo la chancleta pa que coja sol y me acuerdo de Caneca, que tenía las chancletas puestas cuando lo tiré a la bañera, y me acuerdo de Botella, de que es prófugo, de mi hermana sola y de ésta, que siempre me bota, pero yo sé que me recoge de nuevo.

Cojo la chancleta y la huelo y todavía huele a mierda y no sé por qué me pongo a llorar como el cabrón de Botella.

Muchos

Dos vecinas preocupadas, preocupadísimas, se encuentran a lados opuestos de la verja que divide sus respectivas casas y se dedican a pelar a todo el mundo. Una es maestra y vive bien. Su casa tiene rejas, calentador solar, antena satélite y una marquesina con dos carros. La otra va por el segundo matrimonio y con ese se queda y, si Dios no lo quiere y se dejan o él falta, no se vuelve a casar; a compartir sí, pero a casarse no. No vive tan bien como la otra, pero hace un esfuerzo por mantener apariencias. Las dos están preocupadas y mirando a cada rato para todos lados, dan voz a su alarma y, alarmadísimas y requetepreocupadísimas, se desahogan como mejor pueden, pues si uno viene a ver, la cosa no está tan fácil.

MAMÁ PREOCUPADA: Tú me perdonas, pero ese nene de Alta va a salir pato.

MAMÁ PREOCUPADA TAMBIÉN: ¿Verdad que sí? Eso mismo le decía yo a Éste y él me dijo que había que enseñarle a Yanielito el mío para que coja malicia y que si ese nene lo manosea o le hace algún gesto, que le meta un puño y después venga y nos lo diga.

MP: No, y dicen que eso no se pega, pero los nenes se confunden. Yo que digo a cada rato fo, que eso se ve asqueroso, que eso está mal, pero la Alta como si nada. No lo corrige.

MPT: Eso mismo dice Éste, que él lo coge y lo suena bien sonao. Una vez Yanielito se antojó de un peluche un día que andábamos por las tiendas y Éste le dio. Le dio bien duro y mira que él no les pone mano encima. Yo no dije ni pío porque él como quien dice los crió y tiene más derecho que el hijo de la gran puta ese pai de mis hijos que ni los busca. A cada rato me lo advierte: "Honey —él me dice Honey— si yo veo algo raro con el nene, lo voy a corregir".

MP: El otro día yo estaba en casa de Alta entregándole los chavos de unos productos y el nene empezó a llorar porque el pai le apagó la novela. Si tú lo vieras, nena, llorando como una magdalena y la Alta le dice al marido: "al paso con el muchachito que él no te ha hecho na, que si llegaste con disparates de la calle, con el carajito no me la vengas a coger"… y va y le prende la novela. Bendito, a mí me da pena con ese hombre. Pa mí que ella se casó con él por los papeles.

MPT: No, pero si esa gente es así.

MP: Pero oye, yo le digo: "mira Alta tú me perdonas, pero tú sobreproteges a ese nene. Él es un varoncito y los papás se tienen que poner fuertes con ellos y tratarlos como si fueran hombres. Yo entiendo que a una le duele porque una es mai, pero ese nene tuyo necesita más al pai que a ti en este momento. Tú me perdonas, Alta—le digo yo—pero a ese nene tuyo le gustan demasiado las novelas y recuerda que es varón".

MPT: Y se encojonó contigo, ¿verdad? Mira, esa gente es trabajadora y to lo que tú quieras y es verdad que pasan necesidades en su país, pero son unos acomplejaos. No se les puede decir nada. Por eso es que Éste no los soporta. Hasta quiere irse de Santurce y él es nacido y criado aquí.

MP: Pero óyete el cuento. Me dice la muy malagradecida, que "no se preocupe vecina, que a ese nene se le está criando sin complejos. Moléstele a quien le moleste—hablando duro como para que el marido la escuchara—, que bastante ya tiene con ser hijo de una dominicana y aquí hay mucho prejuicio y yo le dije: "por eso mismo te lo digo, porque después va a ser peor pa él".

MPT: Bien dicho. Mira, y que prejuicio.

MP: No, y me dijo que gracias, pero que ella sabía lo que estaba haciendo, que tenía un bachillerato en consejería.

MPT: Será de Santo Domingo.

MP: Nena, de aquí. Si ellos están cogiendo todas las becas. Pero uno se tiene que quedar callao. Yo le dije: "mija pues sorry si te ofendí pero no fue mi intención". Allá ella.

MPT: Mira y que sicóloga, si ella llegó aquí porque el marido la conoció en un torneo de billar por allá y se enamoró de ella y la mandó a pedir. Éste me dice que en el trabajo hay una que dice que ella no se mete con hombres casados porque se quiere hacer ciudadana. Éste se prende porque es como él dice: "llegan aquí y se quedan con to, nena". Pasa por ese Barrio Obrero, pasa por

Villa Palmeras, pasa por Río Piedras. La plaza del mercado está llena de dominicanos y son contaos los de aquí.

MP: Mija, a mí me da muchísima pena, pero ese nene va a sufrir un montón porque la gente discrimina. En la escuela había uno trabajando de bibliotecario. Nosotros recogimos firmas y nos quejamos en la región hasta que lo sacaron. Él era chévere y los estudiantes lo querían, pero, mija, ahora hay muchísimas demandas y, tú sabes, no es bueno para los nenes.

MPT: No, si es como dice Éste. Ahora los patos enamoran a los hombres en la calle. Me dice que en el baño de Plaza y que un tipo mirándolo y mirándole ahí y él ha sacado la mano y le dio un bofetón para que respetara y le dijo: "Ahora llama a los guardias que sin cojones me tiene". Tú sabes como es él.

MP: ¡Qué sucios! Son unos puercos. Dios me perdone, que yo tengo hijos, pero a mis estudiantes yo se lo digo, que eso no es natural y que aunque digan que no, hay ayudas para eso. Sí, mija, en Caguas hay una iglesia que se los lleva para la Florida y allá tienen un campamento y vienen derechitos. Al hijo de la señora que trabaja en

Obras Públicas lo mandaron para ese campamento y ya tiene novia.

MPT: Pero a él como que se le nota todavía.

MP: ¿Y qué tú me dices del hermano de mi marido? Él es así, por eso es que vive por Filadelfia, porque aquí no se le acepta eso y cuando él viene se le recibe con el americano y todo, pero sabe más que eso y se quedan en un hotel.

MPT: Éste me dice que el hijo de Margot y que es así, que todo el mundo lo sabe y que lo han visto salir de una discoteca de esas con otro tipo. Me dice que lo puede ver a pie y no le da pon.

MP: Y el hijo de los de la tienda, también, el gordito, al que se le nota muchísimo y siempre está leyendo Teveguía y con el póster pa que voten por Víctor, de Objetivo Fama. Ese es pato. ¿Y qué tú me dices del segundo, el bonitillo? También. Tan lindo que es y tan machito que se ve. También salió así.

MPT: ¡Ay, Virgen! ¿Son muchos, verdad? Mira, se me paran los pelos, y eso que nos faltan las mujeres.

MP: ¡Cállate, muchacha! No digas más na, que la lengua es bruja.

Ahí entró el silencio. Una, la MAMÁ PREOCUPADA tenía que llamar a Alta para contarle lo que la MAMÁ PREOCUPADA TAMBIÉN decía de su nene. La otra, la MAMÁ PREOCUPADA TAMBIÉN, iba a llamar a Este por el celular para averiguar a dónde se había ido tan vestidito, porque ella pendeja no es. Cada cual se retira. Las vemos a lo lejos y podemos apreciar a Santurce repleto de esa rica amenaza que perturba a las preocupadísimas y alarmadas madres. Por lo que se ve, no es para menos.

El jardín

Sharon aprovechó que lavábamos los platos para decirme que había estado pensando en el día en que Willie, mi amante, ya no estuviera.

—No paro de pensar en eso, Nestito. Lo veo todo el tiempo amotetado y cada vez empeora más. Como si presintiera que se nos va.

Es cierto. Lo presentía desde aquella tarde en que recibió los resultados y los metió en el bolsillo de su pantalón, asumiendo de inmediato su realidad. Yo lo conocí esa misma noche. En una fiesta de lesbianas en Miramar. Cuando nos presentaron traté de establecer una conversación con él, pero al pasar unos minutos pareció aburrido; se excusó y fue a hablar con unas chicas. Me ignoró toda la noche. Era rubio, con brazos bien formados, pecho amplio. Un blanquito (con lo que me mataban y me matan los blanquitos). Hice lo que pude por llamar su atención: me reí duro, hablé alto y hasta pasé los pasapalos de jamón entre los invitados, pero sólo miró el plato y dijo con la cabeza que no. En una me senté solo y puse cara de melancólico para ver si le daba pena conmigo, pero nada. Hasta que llegó la hora de irme y dije que me iba, que la última guagua pasaba a las 11:00. Él entonces:

—¿Para dónde vas?

—Para la Parada 20.

—Yo te llevo.

Cuando bajamos en el ascensor me dijo que era positivo. Me lo dijo como insinuando que por eso me había ignorado durante la fiesta. Lo pensé más de dos veces, pero le dije que eso no era problema.

—Me acabo de enterar hoy —añadió tocando el bolsillo y entendí con ese gesto que el papel con los resultados estaba allí.

—¿Qué vas a hacer?

—Llevarte a comer —me dijo.

Desde esa noche estamos juntos. Dos años, tres meses y once días. Willie me acusa de cursi por darles tanta importancia a las fechas. Dice que cada vez me parezco más a Sharon, su hermana, que vive con nosotros en Santa Rita.

La preocupación de Sharon venía por el hecho de que a Willie le había dado con que hiciéramos una fiesta para despedir el 1989. Quería una cena suculenta y buen vino. Pasó días encargándome discos que tenía que ir a buscar a la Parada 15. No me molestaba ir. Antes de estar con Willie había vivido cerca de Sagrado, donde estudiaba biología ya ni sé por qué. Me sentía cómodo en aquellas calles. Río Piedras me daba miedo. La Plaza del Mercado, que tanto amaba Sharon, me aterraba. Tanta gente loca en las calles, tanta joyería, tanto altoparlante repitiendo lo mismo. Sólo en la casa de Willie me sentía cómodo.

—Quiero flores —ordenó otra vez Willie: alcatraces para él, gardenias para Sharon y tulipanes para mí—. Trae velones azules para Yemayá, que yo soy su hijo, al igual que tú y que Sharon.

Los tres éramos piscianos. Willie decía que su ascendente era Leo, por eso era la cabeza de la familia. Que el mío estaba en Tauro, por eso lo cabeciduro, y que Sharon estaba también en piscis, y por eso era un desastre total. Sharon se encargaba de copiar el menú que, por supuesto, Willie dictaba desde su cama.

Todo estaba listo para la despedida de año. Faltaban dos noches. Willie me había enviado a Televideo, en donde Norma, la muchacha que lo atendía cuando todavía podía ir, ya tenía las películas que había mandado a alquilar por teléfono. Eran dos: una mexicana para Sharon y un musical para mí, The Sound of Music, mi película favorita de todos los tiempos. Ésa y Love Story, que Willie odiaba por lo cursi.

Por eso fue que Sharon me trajo su preocupación:

—Está muy complaciente, Nestito, y tú más que nadie sabes lo voluntarioso que es. Es raro todo esto. Willie se va, Nestito. Tú no me dejes, te quedas aquí, que ya yo me muero también y te lo dejo todo —decía con gesto de que reconocía que era mucho lo que me ofrecía, pero era totalmente honesta en su propuesta.

—Tú eres joven y puedes rehacer tu vida cuando falte Willie, sabes. Y si tienes un amigo también se te acepta.

Estábamos en el patio al que Sharon y Willie llamaban "jardín", como en el cine, testimonio de su pertenencia a una familia académica. Sus abuelos y abuelas habían enseñado en la universidad. Sus padres habían tenido la oportunidad de estudiar en España y habían regresado a dar clases en el campus riopedrense. Sharon nunca dio clases pero trabajó durante años como asistenta de profesores visitantes. Hablaba cuatro idiomas sin problemas, además de esperanto, la lengua franca soñada por un viejo polaco y que Willie renegaba como un invento sin sentido de palabras que no resonaban a experiencia vivida alguna. Willie se fue a Columbia y regresó con un doctorado en historia del arte con especialización en cine. En su apellido se guardaba un mito universitario, significativo como la Torre misma. Vivían en Santa Rita desde que se construyó, mucho antes de que la desmembraran en cuartuchos con el único propósito de sacar dinero.

La residencia tenía los techos altos, tres baños, cuatro dormitorios y un garaje en donde Sharon se escondía para verse con su amante de más de 20 años.

—No sé por qué lo ocultan —se preguntaba Willie—. No sé por qué no se casó con él cuando murió Papá, ni por qué razón lo recibe allí.

Veinte años era mucho tiempo para mí que tenía apenas veintitrés. Era mucho tiempo para cualquiera.

—Se habrán acostumbrado —decía yo, muerto de curiosidad por ver al susodicho, pero Willie me había hecho prometer que por ninguna razón tratara de indagar o averiguar la identidad del amante; que eso era de mal gusto, recordándome con la advertencia mi origen de casa de bajo costo en parcelas repartidas por el municipio.

Era fácil saber cuándo se daría el encuentro con el amante. Sharon se transformaba. Actuaba con nerviosismo. Disimulaba inútilmente con gestos ensimismados la ansiedad de no tener ya lo deseado. A eso de las nueve de la noche, si estábamos en el jardín o en el cuarto de Willie, se excusaba siempre con la misma frase:

—Me retiro.

—Va a pecar —decía Willie en tono de burla, imitando la voz de una diva de cine.

Desde el garaje nos llegaba el débil sonido de una radio que tocaba sólo boleros. Luego, ya ida la visita, Sharon se sentaba en el jardín y fumaba, envuelta en una bata blanca que parecía plateada con la luz nocturna que entraba al patio. Salí a su encuentro. Sonrió.

—Es un pequeño pecadito —dijo mirando el cigarrillo.

Me invitó a caminar por el jardín y yo, deliberadamente, hice que nos acercáramos al garaje. Una vez allí, mentí simulando que había pisado en falso y me recosté de la pared.

—Estoy lastimado —le dije como en una película—. Por favor, Sharon, entra al garaje y busca algo que me sirva de muleta.

En eso escuchamos la voz de Willie que llamaba desde su cuarto al fondo de la casa. Me asusté y disimulé una recuperación también cinematográfica. Sharon me echó el brazo y me pidió:

—Nunca entres a ese garaje. Tu vida peligraría.

La suya no era una advertencia vulgar, como las de mi hermana de "te voy a matar, condenao". El peligro era otro, más allá de ella.

—Nestito —dijo con su voz fañosa—. Te voy a contar un secreto.

Mi corazón quería adelantarse al placer de escucharlo.

—Soy víctima de un secuestro. Desde hace veinte años un hombre grande del bajo mundo me obliga a encontrarme con él en ese garaje. Es de la mafia —confesó, agrandando los ojos para que viera en su cara lo grande del asunto.

—¿Secuestrada? ¿Por veinte años? —pregunté obviamente incrédulo.

—Sí, aunque no me lo creas. Una noche hace veinte años, sin querer, fui suya. Y digo "sin querer" porque yo, en verdad, no era yo. Él era lindo, como Sydney Poitier, el negrito de las películas. Idéntico. Al principio los confundí. Una noche vino por aquí y empezamos a hablar. Yo le dije, después de un tiempo, que nos fuéramos al garaje y por tonta me le entregué. Yo obviamente le dije que esa era la última vez, pero me amenazó con decirle todo a Papá y pedir mi mano. Yo no tuve más remedio que aceptar cuando me dijo que era del hampa china. Aunque no es chino, es de Haití, pero sabe chino. Él me enseña. Voy a aprender bien para que podamos hablar tú y yo sin que Willie se entere de lo que hablamos. Nesti, de todo esto, ni una palabra a nadie.

Quedé boquiabierto, pero esa era su manera de explicarme su realidad. Me sentí mal por indiscreto. Tal vez la había llevado demasiado cerca de ser descubierta y con la clase que tiene prefirió dar el paso al frente y descubrirse ella misma. A su manera, claro está.

Willie llamó de nuevo. Fuimos adonde él.

—Luego te cuento más. "Te quiero mucho" en chino se dice "chon chuan" o "chon chun". Algo así —me dijo con una fonética convincente.

El antiguo salón de estar, donde una vez hubo un piano en el que según Willie, Sharon solía masacrar al pobre Chopin, lo habíamos habilitado para evitar subir escaleras desde que él empeoró. Pusimos la cama de posición frente al ventanal que daba al jardín, desde donde se veían las trinitarias. Estaba lleno de libros. Willie era un lector voraz. Leía de igual forma a Hesse que a Amy Tan. Se negaba a que yo los llevara a las librerías de la Ponce De León para venderlos y con eso comprar otros que él quería. Allí estaba con sus lentes para leer, con un libro entre las manos.

La cara que tenía cuando lo conocí estaba hundida en un nuevo rostro que sólo identificaba como suyo por los gestos. Aún actuaba como el ser hermoso que fue. Le gritó a su hermana:

—Sharon, vete al salón que Kike te va a peinar para que recibas el año.

Sharon intentó protestar, pero Willie insistió.

—Que te peinen como Diana.

Sharon, como por arte de magia, se entusiasmó con la idea y salió del cuarto diciendo:

—¿Yo, de Lady Di? Qué locura.

Como si la locura fuera precisamente lo más genial del mundo.

Me acosté al lado de Willie. Estaba recién bañado. Había cambiado conmigo desde que cayó en cama. Durante meses me había ignorado como en la fiesta en que nos conocimos. Yo no era yo, era parte de un dúo con Sharon. "Ustedes esto, ustedes lo otro". Miré su cuerpo de cerca y pasé la mano por su pecho. Sus axilas eran tierra fértil para pequeñas flores. Lo apreté suavemente. Sus huesos se sentían frágiles. Cuerpo, huésped. Huerto alimentado de nutrientes ajenos. Busqué su rostro, besé las llagas secas, saqué una pestaña que descansaba en su mejilla. Miré sus ojos y encontré, por fin, después de ocho meses y dieciséis días, deseo.

Moví su cuerpo con cuidado para poder abrazarle la espalda. Su boca seca, como de lija, comenzó a besarme en sincronía con mis ganas. Sus brazos, flacos como troncos de arbusto escuálido, intentaban apretarme. Olía a tierra recién preparada. Frotaba mi nariz sobre su pecho pegajoso a causa de los parchos. Apretó mi piel, como para no caer, pero las ganas lo sostenían. Los pañales desechables, pegados a nosotros, sonaban como el crujir de hojas secas. Nos miramos. Seguimos en silencio, seguros, a salvo.

Me quedé en la cama con él. Recordé la primera vez que vine a su casa, los dos en el jardín. Prendió pasto y nos pusimos a fumar. Yo estaba fascinado con su elocuencia, hablando de filósofos y escritores como si los conociera, con su arrogancia natural, merecida. Luego, desnudos en la cama, él, con una medallita de la Virgen, al cuello. Con el aliento pesado por la marihuana.

Miró sus pantalones sobre la silla y con una sonrisa me dijo:

—Se supone que esté llorando y, sin embargo, me siento bien. ¿Quieres ver cuán bien? —me preguntó llevando mi mano a su pene erecto. Comenzó a llover. Noté cómo se le erizaba la piel y lo arropé.

—Sharon dice que te vas a morir por lo de la fiesta.

—Te voy a pedir algo, Nesti —dijo serio, como hace su hermana—. Cuida a Sharon. Ella quiere dejarte la casa y dice que hasta te hace un apartamento —enfatizó—. ¿Sabes? Todos los miembros de mi familia, absolutamente todos, han nacido bajo el signo de piscis.

Miramos un rato el agua caer sobre las trinitarias. Nos dormimos.

Cuando desperté, fui a mi baño y me duché. Me encantaba esa seguridad que sentía después de que hacía el amor con Willie. Me sequé y me fumé un gallo. Pensé en el cuento de Sharon y sonreí pensando en que esta gente era mi verdadera familia y que ese momento de mi vida se iba a ir con Willie. Todo iba a cambiar. Después, con la nota me dio por pensar que Willie se había muerto. Con que estaría muerto en la cama. Imaginé al policía haciéndome las preguntas de rigor y yo divagando, incoherente. Salí del baño en toalla y me fui directo al cuarto. Willie estaba de pie. Lucía fuerte, saludable. Me miró y dijo:

—Esas nalgas tuyas son milagrosas.

Recibimos a Sharon en el jardín. Se veía radiante y hacía morisquetas, coqueta, mientras movía su nuevo peinado en un rubio retocado por el tinte.

—Te ves estupenda —celebró Willie.

A Sharon le cambió la cara. De pronto salió de sí y vio que su hermano, postrado en cama por meses, estaba sentado en el pequeño jardín charlando con ella.

—Willie, ¿qué tú haces levantado? Nestito, ¿qué hace Willie aquí afuera?

Hice un gesto de que lo dejara y ella me entendió. Se puso en posición de soldado, miró a su hermano y le dijo:

—Lo que usted diga, y si quiere abro un vinito de Papá, que la tarde está linda y una copita no hace mal.

Tembló cuando servía el vino. Era piscis: reconocía en ella esa comodidad en situaciones sórdidas y casos perdidos. Tomamos sin brindar; para ellos brindar era desaprovechar un momento de verdadera comunión, en donde el brindis siempre era falta de imaginación.

Terminamos en el cuarto de Willie, los tres acomodados en la cama de posición, viendo The Sound of Music. Sentía la respiración de Willie agotarse de nuevo, en paz con su verdadera realidad. Se me apretó el pecho, como si un perro me mordiera ahí. En noches anteriores, cuando su cuerpo flaqueaba y en arcadas obstinadas botaba lo que no tenía, aun así, tomarlo en mis brazos, apoyado en su debilidad, era un goce. Un verdadero goce sostener a ese ser tan generoso en la cama, tan sensual y atrevido. Tan fresco, como diría su hermana. Quería llevarlo al cine a ver dos películas corridas como solíamos hacer al principio. Quería llevarlo a mi casa en Arroyo para que entendiera porque yo era tan jíbaro. Para que mis padres supieran que él era profesor y de familia. Que fuéramos a Guayama a la casa de Palés, a comer un helado de los chinos y luego, ver una película en el Teatro Calimano.

En la tele, la familia von Trapp decía adiós con una canción.

Willie lo había dejado todo preparado para su funeral. Sería cremado y las cenizas echadas en el jardín de su casa en Río Piedras, cerca de las trinitarias. Fue una ceremonia discreta: las amigas que nos presentaron aquella noche en la fiesta, el monje budista que dispuso Willie una noche arrebatado por la marihuana y que Sharon dio por hecho; ella, yo y un señor que me presentó como viejo amigo de la familia. Un hombre negro, alto y fornido que con una sonrisa parecida a la de Sydney Poitier, me dio el pésame. Willie se quedó sin verlo y sin saber el cuento completo.

Mundo cruel

Desde esa madrugada José A. y Pachi, los chicos más fabulosos y espectaculares de la barra, tenían un mal presentimiento. José A., líder indiscutible del dúo, despertó sobresaltado. Había soñado que estaba en Boccaccio, barra gay en Hato Rey y salón de baile detenido en los ochenta. Según Pachi, allí sólo iban dueños de beauties de marquesina, enfermeros, empleados municipales y horror de sus horrores, buchas machúas. No sólo soñó que estaba allí, sino que en la pesadilla tenía puestos unos mahones blancos y spray de brillo en el pelo. Pobre José A. Para sentirse mejor fue al baño y vomitó. Eso siempre le calmaba los nervios y lo hacía lucir esbelto.

Pachi, también un chico espectacular y con un paso de llegué yo que todo el mundo lo notaba, tuvo un momento angustioso la noche anterior. Lo levantó la terrible idea de que tal vez le cortaron el servicio de celular y, aunque él sí podía hacer llamadas, necesitaba cerciorarse de recibirlas. No lo pensó más. Bajó a la calle para llamarse desde el teléfono público. Sin tiempo que perder y avanzando, se midió cuatro pantalones diferentes. Se probó seis camisetas. Se echó gel en el pelo, se afeitó un poco las piernas y salió pensando que si le cortaron el servicio era porque alguna loca envidiosa que trabajaba en la compañía de celulares estaba jodiendo con él. Pero cuando llegó al público, llamó a su número y vio parpadear las luces de su Blackberry.

Aló —se dijo— y cuando escuchó su propia voz contestándole, le preocupó que sonara tan pato.

Por lo menos estaba activado, imagínate qué vergüenza. Aun así, mientras caminaba por la Ashford mirando su reflejo de las vitrinas, ese mal presentimiento se le encajaba en el pecho. No se le iba. Madre mía, ¿qué será? Se preguntaba con desasosiego.

Of course, no le comentaría nada a José A. La palabra presentimiento podría dar cuenta de un pasado hace tiempo compactado y enterrado: tenía una tía espiritista en Carolina, no en Isla Verde, sino en pleno Country Club. Carolina es como decir Loíza —pueblo de negros— y si eso se sabe, se hundiría para siempre.

Ambos se encontraron en el gimnasio por la mañana y les dieron tanto a las pesas que salieron casi tiesos. Durante el desayuno de Gatorade con power-bars, fueron testigos de algo que los dejó atónitos: Gabriel Solá Cohen, dueño de Consultores de Ambiente, propietario del único Audi lavender en Puerto Rico y poseedor de una genética casi de encargo, se estaba comiendo nada más y nada menos que unos huevos fritos con tostadas de pan blanco. La decepción se apoderó de ambos. Si la gente fabulosa daba esa rayá de disco al soundtrack de la fabulosería y espectacularidad, se comportaba con esos hábitos, el mundo tal y cual lo conocían estaría a punto de acabarse.

Y así era. Del mal rato, José A. llamó a su estudio y pidió a su asistente que cancelara todas sus citas y compromisos, pues estaba indispuesto: "estoy fatal", le dijo. El sueño de los mahoncitos y el olor de los huevos fritos le arruinaron el humor. Miró su reloj y vio las doce del mediodía. Tenía exactamente doce horas para ir a la barra. Mejor concentrarse en lo que se iba a poner.

Pachi, a pesar de la molestia, no tuvo más remedio que ir a su oficina. El jefe corporativo había citado a todos a una reunión. No solamente a los ejecutivos de cuentas o gerenciales como él, sino a todo el que estaba en nómina. "Todos y todas", leía el comunicado. El mismo jefe abrió la reunión diciendo, oigan bien, que ese era un día especial, pues a tono con los nuevos tiempos y para beneficio de la firma y sus colaboradores y colaboradoras, había invitado a unos jóvenes líderes de quién sabe qué, que venían a hablar de la homofobia en el trabajo.

Pachi tragó vidrios cuando vio a los sujetos, pues no se les puede llamar de otra forma. Ya los había visto en la barra en chancletas y con bultitos repartiendo condones y papeles para manifestaciones a las que nadie iba. Estaban allí con los pelos tostados y curtidos por el sol que cogían en tanta marcha. A Pachi no le quedó más remedio que repetir lo que ya era su mantra: ¡qué ridiculez!

Al final de la presentación fueron dieciséis los que salieron del clóset, incluyendo a Mundo, el de mantenimiento, que dijo a toda boca que él era bisexual pasivo.

Todo el mundo se quedó de lo más campante. Nadie protestó ante tal espectáculo. Pero si algo tenían claro él y su amigo José A. era que la patería no era asunto para promulgarse a cuatro vientos. Cuando se dio cuenta de que lo estaban mirando, se retiró sin dar excusas. Fue al escritorio, cogió su maletín y su bolsa del gym, se arregló el pelo, se echó perfume y salió casi corriendo.

Ya en la Land Rover prendió la radio y en todas las emisoras, hasta en las evangélicas, se

estaba haciendo un llamado a ponerle fin a la homofobia. Es más, en plena Ponce De León estaban
subiendo un billboard con la foto de una pareja
de lesbianas con dos nenas negritas que leía: el
odio no cabe en el calor de un hogar; vivamos
nuestra diversidad.

Pachi miró alarmado y vio a un policía en
draga y la gente como si nada. Vio unos chamaquitos cogidos de mano y la gente como si nada.
El terror lo embargó.

Pachi se echó a llorar cuando su celular sonó
para su alivio y consuela —y mira que lo necesitaba, con tal mañanita— después de casi doce
horas sin recibir llamadas. Era José A. diciéndole
que se viniera para su casa después del trabajo y
así ponerse ready para la barra. Pachi, ahogado
en llanto, sólo pudo musitar un sí.

Después de dar seis vueltas, consiguió esta-
cionamiento y marcó el intercome para pedirle
acceso a su amigo. Temblando y entre sollozos
le contó a José A. lo que estaba pasando en el
mundo. José A. no se había dado cuenta de nada
porque estuvo el resto del día con una mascarilla
sueca de frutas en la cara. Siguiendo las instruc-
ciones para el facial, no había podido levantarse
ni tan siquiera para vomitar, aunque en una le
dio con pensar que la fruta de la mascarilla lo
podía hacer engordar.

Así que lo que le contaba su amigo le parecía totalmente descabellado y trató de consolarlo diciéndole que no se preocupara, que esa noche iban para la barra y de seguro la homofobia estaría intacta allí. Logrando que su amigo se calmara un poco y para poder bregar con esta pequeña crisis, José A. fue a su baño y vomitó. Los malos ratos, había leído en Gay Style, hacían que la grasa se acumulara en el cuerpo y, al recordar eso, se metió el dedo otra vez para no dejar nada. Durante las próximas seis horas se arreglaron y acicalaron tanto que cuando salieron para la barra a un cuarto para las doce parecían de goma y dignos de vitrina en Plaza.

Iban camino a la barra en la Land Rover de Pachi, con el Gay Ibiza VIP Club Music Collection en el estéreo disimulando la ansiedad que les causaba pensar en la posibilidad de que la barra estuviera también afectada. Pero casi a la entrada de la hasta entonces exclusiva (hombres a diez, mujeres a treinta, ¿captas?) y súper in barra, vieron la primera señal de que el mundo, su mundo, se estaba yendo para el mismísimo carajo. Seis parejas de lesbianas, con el celular en la correa, estaban entrando. Alarmados y casi reclamando le preguntaron asqueados al bouncer: ¿es noche de mujeres? El bouncer les dijo que no.

Entraron como pensándolo pero, sin perder el paso y con la nariz respingada, se fueron a una esquina a ver a quién ignorar. No había tanta gente como de costumbre, pero lo peor era que casi todos estaban vestidos de forma casual, por no decir tiraos.

En ese entonces paró la música y el dj anunció que se fuera todo el mundo para la calle, pues el municipio declaró Gay Nigths en Santurce todos los primeros jueves de cada mes. Todo el mundo salió a la avenida. José A. y Pachi salieron con cara de disgusto y con las manos casi en alto para no tocar a tanta gente lucía y sudada.

Un tramo de la Ponce De León estaba bloqueado. Se había formado tremenda algarabía. La gente conversaba, reía y bailaba. Hasta unas dominicanas habían improvisado un kiosco para vender frituras. José A. y Pachi se fueron a una esquina y allí se encontraron con unos activistas furiosas y furiosos porque ni a ellas ni a ellos nadie les daba crédito por el fin de la homofobia. "Deberían hacer un anuncio, dándonos las gracias", decían.

En ese momento, entre la muchedumbre bailadora, Pachi vio al dulce amor de su juventud: Papote, el hijo del bombero. Venía hacia Pachi con la misma sonrisa hermosa que lo llevó a amarlo cuando estaban en la high.

Papote, con canitas y las libras de más que causa la vida estreit, le agarró las manos y le dijo:

—Bebé, vente que ya salí del clóset y vine a buscarte.

Pachi le entregó las llaves de su guagua a José A. para no dejarlo a pie y, sin darse cuenta, ya estaba bailando bachata en plena Ponce De León con el hombre de su vida. Con un ojo vio la cara de asco de su amigo José A., pero con el otro vio los labios carnosos de Papote. Con todo y que tenía un bigotito medio caco, lo besó y le dijo rindiéndose a lo que fuera:

—Papito, me voy contigo adonde sea, pero primero llévame a comerme una mixta, que llevo veinte años con hambre.

Y se fueron.

. . . .

José A. lloraba de rabia; no era por Pachi, pues de sobra sabía de qué pata cojeaba su amigo, sino porque la ropa que llevaba puesta le había costado muchísimo y para estar callejeando no era. Respingó su nariz, se paró detrás de la guagua para vomitar el olor a fritanga y se montó para salir.

En ese momento se prometió que al otro día vendería todo y se iría a Miami. Pues él, José Alfonso Lapís, de los Lapís de Ponce, no se mezclaba con chusma y jamás viviría sin decoro. ¡Jamás!

Agradecimientos

A Ricardo Vargas Molina *(estos cuentos son para ti)*, Carlos Vázquez Cruz *(este libro te lo debo a ti)*, Rafael Acevedo, Ángel Antonio Ruiz, José "Pepe" Liboy y Yolanda Arroyo Pizarro, por las lecturas.

A Liety Acevedo, Claudia Cornejo, Wanda Hernández, Maritza Rosario, Sylvia Calzada, Ariel Concepción, Juanita Cruz *(Juana)*, Rodolfo Vega, Dharma Cortés, Miguel Sanabria, Li Nieves Avilés, Samuel Medina, Yvonne Denis y a JMC, por el entusiasmo.

A Moisés Agosto, David Caleb Acevedo y a la Editorial Tiempo Nuevo, por la primera oportunidad.

A la gente de Librería Mágica, por el apoyo.

A mis padres, Vilma, Víctor y Toñi; a mis hermanos, Enith, Víctor, Wilma, Senec, Josué y Mariel, por el sentido melodramático.

A Lizbeth, José Salvador, Mike y Adriana, por la oportunidad de tener familia.

Gracias.

Luis Negrón

(Guayama, Puerto Rico, 1970)

Estudió periodismo en la Universidad del Sagrado Corazón. Ha publicado en la revista *Alborada* (2001) de la Fundación SIDA de Puerto Rico y se desempeñó como crítico de cine para el periódico *La Semana de Boston* (1999). Fue miembro fundador de *Producciones Mano Santa*, colectivo responsable de la *Muestra de Cine Gay y Lésbico de Puerto Rico* (2001) y la *Bohemiada de Orgullo Gay* (2001-06). Colaboró como antólogo de *Los otros cuerpos: Antología de Temática Gay, Lésbica y Queer desde Puerto Rico y su Diáspora* (Tiempo Nuevo, 2007) junto a Moisés Agosto Rosario y a David Caleb Acevedo. *Mundo cruel* es su primer libro de cuentos. Subió a escena en el 2012 en el *Teatro Sala Beckett* bajo el título *Mundo cruel: el play*. Es curador, junto a Ricardo Vargas, de *CineMAC*, el programa de cine del *Museo de Arte Contempráneo de Puerto Rico*. Ha publicado para los periódicos *Claridad* y *The New York Times*. Ganador del *Lambda Literary Prize for Gay General Fiction 2014*. Vive en Santurce.

NOTA SOBRE LA TIPOGRAFÍA

Para propósitos de esta edición, se escogió Apollo, letra diseñada por el tipógrafo suizo Adrian Frutiger (*n*.1928). El conjunto tipográfico, producido por la Corporación Monotype en 1964, pertenece a la subdivisión de fuentes de imprenta llamada *Romana Antigua*. Dado a la armonía entre sus caracteres y alto nivel de legibilidad, el empleo de Apollo es idóneo para textos de larga extensión.

Apollo, 11.5 pt

abcdefghijklmnñopqrstuvwxyz
ABCDEFGHIJKLMNÑOPQRSTUVWXYZ
0123456789(.,;:¿?¡!&)

the night 78
8 episodes